ばけものつかい

とある、大《おお》きなお店《みせ》の
ごいんきょさんが、
ほうこう人《にん》の久蔵《きゅうぞう》さんをつれて、
古《ふる》い大《おお》きなおやしきに、
ひっこしてきました。
ところがここは、
おばけやしきとうわさのたかい
おやしきだったのです。
ごいんきょさんは、
「おばけがなんだ」と、
いっこうにきにならないようす、
ところが久蔵《きゅうぞう》さんはびくびく。

ひるまのうちに、すっかりひっこしをおえると、久蔵《きゅうぞう》さんは
たびじたくをして、ごいんきょさんのまえにあらわれました。
「なんだ久蔵《きゅうぞう》、そのかっこうは」と、ごいんきょさん。
「じつはごいんきょ様《さま》、おねがいがありますだ。
おら、おひまをいただきたいとおもいまして」
と、久蔵《きゅうぞう》さん。
「なに、やめる。それはこまるなあ…、
なんでいまさら」
と、ごいんきょさんは、びっくり。
「はあ。おら、人《ひと》づかいのあらい
ごいんきょ様《さま》のおせわをして
三年《さんねん》たちますが…」
「人《ひと》づかいがあらいとはなんだ」
「いや、おら、人《ひと》づかいのあらいのは、がまんできる
んだけんど…、ばけものだけはがまんできねえもんで…」
と、久蔵《きゅうぞう》さん。ごいんきょさんは久蔵《きゅうぞう》さんをせっとくしましたが、
どうにも、このやしきはごめんだといってききません。
ごいんきょさんも、しかたなく、なっとくしました。

その夜《よる》、ごいんきょさんは、
「久蔵《きゅうぞう》のやつ、まあよくはたらく
ほうこう人《にん》だったが、
おしいことをしたなあ」
と、ひとりごと。
「おばけやしきだそうだが、
ほんとにでるのかなあ……、
でないと、久蔵《きゅうぞう》にやめられただけ
そんをしたみたいで……」と、
「おや…なんだかこう
ぞくぞくするなあ」
そういって、ごいんきょさんが、
かたをすくめていると、
庭《にわ》のしょうじが、スーッとひらき、

ひょっこり
顔《かお》をだしたのは、
一《ひと》つ目《め》小《こ》僧《ぞう》。

ごいんきょさんは
一《ひと》つ目《め》小僧《こぞう》をみるなり、
「ハッ、ハッ、ハッ——、
こりゃあおもしろいなあ、
おいおい、
こっちへきな、こっちへ、
そんなところで
したをだしてるやつが
あるか…。
おまえのでてくるのを
まってた。
いやなあ、久蔵《きゅうぞう》にやめられちまって
ひとりでこまってたとこだ」
と、おおよろこび。
「さっそく、ひとつはたらいてもらうよ。
いいか、まず米《こめ》をとげ…」

それから、
一《ひと》つ目《め》小僧《こぞう》は、
ごいんきょさんに
いわれるままに、
米《こめ》をといでざるにあけ、
水《みず》をきり…

かまどに、火《ひ》をいれると
おかまに米《こめ》をうつし、
水《みず》をいれて、
たきはじめ…

ぬかみそのなかから、
きゅうりをとりだし、
ぬかをおとして、
ほうちょうで、
とんとんとん…

あじのひらきをやいて、
みそしるをつくり、
ちゃわんをだして、
たきあがった
ごはんをもり…

ごいんきょさんの
まえにはこんで、
あまりで、
おにぎりをこしらえ、
きゅうすで、
お茶《ちゃ》をいれ…

たべおわった
ちゃわんとおわんと
おさらをあらって、
ふきんでふいて、
とだなにしまい、
なべとおかまも
あらうと…

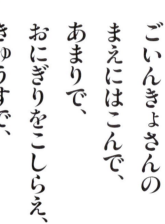

ぞうきんで
あたりをふきそうじ。
ふきんとぞうきんを、
しぼって、ひろげて、
ひといき
ついたとおもいきや、

「おい、一《ひと》つ目《め》小僧《こぞう》、
こっちへきて、
ふとんをしいて、
それから、かたでも
たたいてくれ」
と、ごいんきょさん。

しばらく一《ひと》つ目《め》小《こ》僧《ぞう》に、
かたをたたかせて、
「ああ、よしよし。
だいぶらくになってきた。
こん夜《や》はもういいから、
あしたはな、もうすこし
はやくでてこいよ」
と、ごいんきょさん。
一《ひと》つ目《め》小《こ》僧《ぞう》をかえすと、
そのまま、ねてしまいました。

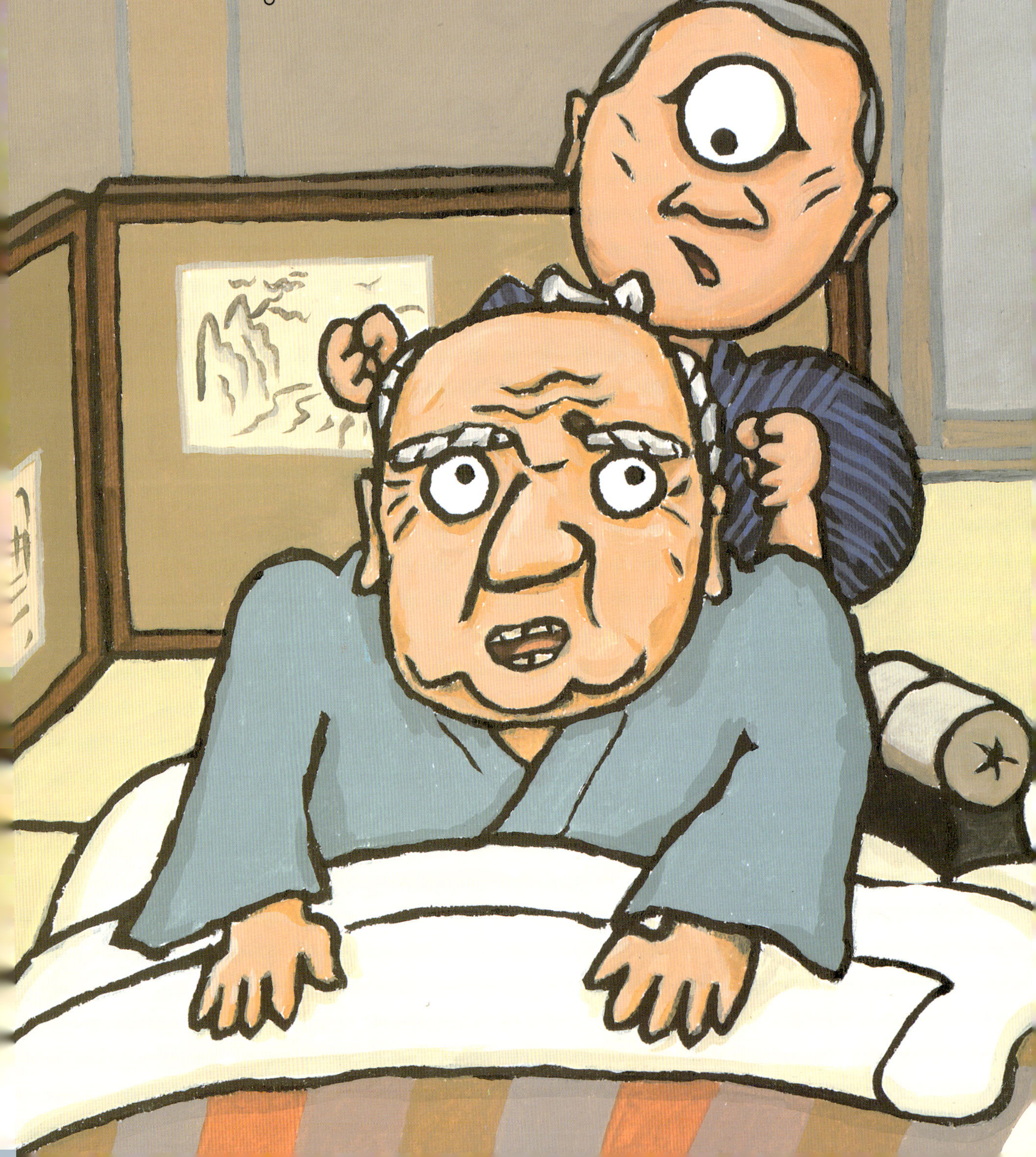

さて、そのつぎの日《ひ》の夜《よる》。
「あの一《ひと》つ目《め》小《こ》僧《ぞう》は、久蔵《きゅうぞう》くらいには
はたらくなあ。しかし、
ひるにでてこないっていうのは
ふべんだなあ」
ごいんきょさんは、
「でも、ただでつかえるから…
まあ、いいところへこしてきた」
と、のんきなもの。
「なにしてんのかなあ。
はやくでてこないかなあ」
と、おもっていると…
「おお、せなかが、ぞくぞくしてきた」
すると、庭《にわ》のしょうじが、スーッとひらき、

やってきたのは、
ろくろっ首《くび》。

ごいんきょさんは、
ろくろっ首《くび》をみて、
「おやおや、きょうは、
おんなかい」
そういって顔《かお》をみようと
すると、首《くび》がするする
のびるので、顔《かお》を
あっちへむけたり、こっちへむけたり。
「…こらこら、あそんでる
ばあいじゃない。
はたらいてもらわないとな」
と、ろくろっ首《くび》をなかへいれ、
「まずな、おしいれに、たびの
よごれたのがあるから、
それをだして、
それから…」

それから、ろくろっ首《くび》は、
ごいんきょさんに
いわれるままに、
たびをあらい、
ほかの
せんたくも
すませ…

さいほうばこをだして、
あなのあいた、
たびをかがり、
はおりのすその
ほころびを、なおし…

きものを
たたみなおして
たんすにしまい、
「こんどは、なにを
いわれるか」
と、おもっていると…

「もういいから。そろそろ
ふとんを、しいてくれ」
と、ごいんきょさん。

ふとんをしいて、
「かたでも、たたきましょうか」
というろくろっ首《くび》に、
「なんだい、こころえているな。
いや、さっき首《くび》のうんどうを
したから、きょうはいい。
もうかえっていいよ」
と、ごいんきょさん。
ろくろっ首《くび》をかえすと
そのまま、ねてしまいました。

さて、そのまたつぎの日《ひ》の夜《よる》。

ごいんきょさん、
「おんなは、どうもつかい
づらくていけない。
きょうは、小僧《こぞう》が
でてきてくれると、
いいんだがなあ」
と、かんがえていると、
家《いえ》が、ぐらぐらゆれてきて…
「おお、せなかが、ぞくぞくしてきた」
すると、庭《にわ》のしょうじが、スーッと、ひらき、

やってきたのは、
三《み》つ目《め》の大入道《おおにゅうどう》。

ごいんきょさんは、
三《み》つ目《め》の大入道《おおにゅうどう》をみて、
「いや、こりゃあ、でかすぎるなあ。
まあいい。きたんだから、
はたらいてもらうよ」

三《み》つ目《め》の大入道《おおにゅうどう》は
ごいんきょさんに
いわれるままに、
庭《にわ》の石《いし》を、
あちこちいれかえ…

やねのごみを、
ふきとばし、
草《くさ》をむしり…

石《いし》どうろうを
池《いけ》のそばへ、はこび…

そして
家《いえ》のなかへ
手《て》をいれると、
おしいれをあけ、
きように
ふとんを、しいた。

そして
りょう手《て》を
さしいれると、
小指《こゆび》でかたたたき。
「なかなかこころえて
いるじゃあないか」
と、ごいんきょさん。
「よしよし、きょうはもういい。
あしたは、小僧《こぞう》さんだよ、
いいな。たのむよ」
そういって、三《み》つ目《め》の大入道《おおにゅうどう》をかえすと、
そのまま、ねてしまいました。

さてさて、そのまた、つぎの日《ひ》の夜《よる》。
「一《ひと》つ目《め》小《こ》僧《ぞう》が、くるといいが」
とおもって、まっていると
「おお、せなかがぞくぞくしてきた」
すると、庭《にわ》のしょうじが、スーッと、
きょうは、あかないで、庭《にわ》から、
「あのう、ごいんきょ様《さま》、
おねがいがございます」
「だれだ、おまえは」
とごいんきょさん。
「はい、まい日《にち》、ここへまいって
いるものでございますが…
じつは、おひまをいただきたくて…」
「どういうわけだ、それは」
「わたくしも、ほうぼうばけてでますが、あなた様《さま》ほど、
ばけものつかいのあらいおかたは、ございませんので」
こんどはごいんきょさんが、じぶんでしょうじをあけると、

庭《にわ》に、たぬきが一《いっ》ぴき
たびじたくをして
たっていました。

落語絵本を作った人
川端誠さん

落語絵本シリーズ　その1「ばけものつかい」

ある噺家さんが、「ものには、パッとふれてすぐ面白さがわかるものと、何度かせっしているうちに面白味がわかるものがあって、落語というものはどうもあとの方で……」といっておりましたが、絵本も落語同様なんであります。

落語にはオチがあり、そこにいたるまで話を面白おかしくしゃべるわけですが、五代目志ん生師匠の言葉をかりれば、「落語というものは、おかしくってあたり前で、その中に世情の様々なことが実は入っていて……だから、馬鹿じゃあできない……りこうな奴はやりゃあしない」ということになるでしょうか。

こんな噺を視覚的にやろうとしているのが絵本であって、ですから、絵本と落語とはけっこう近く、落語を聞いていると、これは絵本になりそうだというものが、いくらもあり、いっちょうやってみるかといって出来たのがこの絵本なんであります。

この『ばけものつかい』という噺は、五代目小さん師匠のものでは、まくらで「きつねは七化け、たぬきは八化けと申しまして……」と、きつねとたぬきの化け方の違いを説明して始まり、一つ目小僧、顔の青白い幽霊みたいな女、三つ目の大入道、のっぺら坊と出てくるのですが、絵本では、女はろくろっ首にして、のっぺら坊は省略しました。

噺のオチは、最後の晩にたぬきがやってきて、ごいんきょさんに暇をこい、理由を聞かれて「わたくしも方々化けて出ますが、あなた様のように化け物使いのあらいお方はおりません」となるのですが、これでは視覚的なオチになりませんので、たぬきが化けて出ていることをふせて、それをオチにしました。

かわばた・まこと　1952年生まれ。シリーズごとにテーマや表現技法をかえ、多様な世界を展開している。『鳥の島』『森の木』『ぴかぴかぷつん』『お化けシリーズ』（ＢＬ出版）など多数。絵本ライブや講演を続け、また絵本解説にも定評がある。落語絵本は、『ばけものつかい』『まんじゅうこわい』『はつてんじん』『じゅげむ』『おにのめん』『めぐろのさんま』『たのきゅう』『いちがんこく』『そばせい』『たがや』『おおおかさばき』『ときそば』『ひとめあがり』『かえんだいこ』『みょうがやど』（クレヨンハウス）、『てんしき』『ごんべえだぬき』（KADOKAWA）。

crayonhouse

発行日――――1994年11月第1刷　2022年3月10日第41刷
発行人――――落合恵子
発行――――クレヨンハウス
東京都港区北青山3-8-15
TEL.03-3406-6372 FAX.03-5485-7502
URL　http://www.crayonhouse.co.jp/
印刷・製本――――大日本印刷株式会社　TEL.03-3266-2111

初出・『月刊音楽広場』1993年12月号「おはなし広場」